Si-sa-yong-o-sa, Inc.
55-1, Chongno 2-ga, Chongno-gu
Seoul 110, Korea

Si-sa-yong-o-sa, Inc., New York Office
115 West 29th Street, 5th Floor
New York, NY 10001
Tel : (212) 736-5092

Si-sa-yong-o-sa, Inc., Los Angeles Office
3053 West Olympic Blvd., Suite 208
Los Angeles, California 90006
Tel : (213) 387-7105/7106

ISBN 0-87296-006-4

Printed in Korea

The People's Fight

홍길동전

Adapted by John Holstein
Illustrated by Choi Choong-hoon

⫽ Si-sa-yong-o-sa, Inc.
Seoul • New York • Los Angeles

"Mom, who's my father? All the other kids have fathers...."

The mother looked at Kildong. She thought, "Well, he's finally asked. He's fourteen now, getting to be a young man. I guess I'll have to tell him."

"Kildong, your father is the master of this house."

"The master! I'm the master's son! ...But why doesn't he ever talk to me?"

Kildong's mother knew she would have to answer this sooner or later. She took a deep breath. "I'm not his wife, Kildong. His wife is Lady Hong, the mistress of this house. So nobody says he is your father, and you must not say you are his son."

"But he *is* my father—you just said...."

"Remember, I'm not his wife, Kildong. And he is a noble, but I'm only a servant, a commoner. So you are a commoner, too. You know

"어머니, 저의 아버지는 누구예요? 다른 아이들은 모두 아버지가 계시는데…"

길동의 어머니는 길동을 쳐다보며 생각했읍니다. "음, 얘가 드디어 묻는구나. 길동의 나이 이제 열네 살, 곧 청년이 될게고. 이 아이에게 사실 이야기를 해주어야겠군."

"길동아, 너의 아버지는 이 집의 주인 어른이시다."

"주인 어른이라고요! 제가 주인 어른의 아들이란 말씀이죠! … 그런데 주인 어른께서는 왜 제게 아무 말씀도 안 하시죠?"

길동의 어머니는 이 물음에 대해 언젠가는 답변을 해주어야 한다는 것을 알고 있었읍니다. 어머니는 긴 한숨을 내쉬었읍니다. "길동아, 네 에미는 주인 어른의 부인이 아니란다. 주인 어른의 본부인은 이 집의 마님인, 홍 대감댁 마님이시란다. 그렇기 때문에 주인 어른이 네 아버지시라는 걸 아무도 이야기하지 않는 게고, 너도 네가 주인 어른의 아들이라는 걸 이야기하면 안 되는게야."

"그렇지만 주인 어른이 저의 아버지시라고 어머니께서 방금 말씀하셨잖아요…"

"길동아, 네 에미가 주인 어른의 부인이 아니라는 걸 명심해라. 그리고 주인 어른은

a commoner can't be a noble. And you can't call a noble your father."

"So I can't call Inhyong my brother?" Kildong was talking about the son of Lady Hong.

His mother looked down at the floor.

Yes, yes, Kildong knew this nonsense about nobles and commoners. If your mother and father were commoners, you could never become a noble. No matter how smart you were, if you were a commoner you couldn't have the things a noble had.

"I see, Mom." Kildong got up and went outside. He kept thinking. Nobles did interesting and important work—they served the King. But commoners, they were just the servants of nobles. Nobles could use commoners anyway they wanted. So nobles were rich, and commoners were poor.

양반이시지만 나는 종의 신분인 상것이야. 너 역시 상놈이란 말이다. 상놈이 양반 될 수 없다는 건 너도 알게다. 그러니 네가 양반을 아버지라 부를 수는 없는거야."

"그러면 저는 인형 형을 형이라고 부를 수도 없나요?" 길동은 홍대감댁 마님의 아들에 대해 이야기를 했읍니다.

어머니는 방바닥만 내려다보았읍니다.

길동은 양반과 상놈이라는 말도 되지 않는 이야기를 물론 알고 있었읍니다. 어머니와 아버지가 상놈이면 자식은 양반 될 꿈도 못 꾸는 것이었읍니다. 아무리 똑똑하더라도 상놈이라면 양반이 지니는 것들을 지닐 수 없었읍니다.

"알겠어요, 어머니." 길동은 일어나서 밖으로 나왔읍니다. 길동은 골똘히 생각했읍니다. 양반들은 흥미있고 중요한 일을 한다. 그들은 임금을 모시는 것이다. 그러나 상놈들은 양반의 종일 뿐이다. 양반들은 자기들이 원하는 대로 상놈을 부린다. 그러므로 양반들은 잘 살고 상놈들은 가난하다.

Kildong could do everything. He could tell you anything a book could tell you, and he could do anything a great fighter could do. Even at his young age, he could do anything a noble could do, and twice as well.

But he couldn't *be* a noble. And so he couldn't be a great minister in the royal court, like his father, and he couldn't be a great general.

"What nonsense!"

He ran into his room and grabbed his sword. Then he went out and ran and ran, as fast and as hard as he could, until he came to his secret corner of his father's estate. This is where he practiced his *Taekwondo* and his sword and his bow.

He eyed a thick old oak, a hundred feet tall. It was as grand as nobles think they are. Its lowest branches were five feet above Kildong's head. He held his sword in his two hands straight out in front of him, then sprang up like a cat.... WHI-WHI-WHISHHHH! Three branches, each thicker than the boy's body, crashed to the ground. Then he landed, light and quiet as an autumn leaf.

Kildong looked at what he had done. "Spend my life as a servant? What a waste!"

길동은 무엇이든 할 수 있었읍니다. 길동은 책에 나오는 그 무엇이든 알고 있었고, 훌륭한 무사가 할 수 있는 그 어떤 일도 해낼 수 있었읍니다. 어린 나이임에도 길동은 양반이 할 수 있는 일을 잘, 그것도 두 배는 잘 해낼 수 있었읍니다.

하지만 길동은 양반이 될 수는 없었읍니다. 그리고 아버지처럼 궁궐에서 대신이 될 수도 없었고, 장군이 될 수도 없었읍니다.

"말도 안돼!"

길동은 제 방으로 뛰어들어가서 칼을 움켜쥐었읍니다. 그리고는 밖으로 뛰쳐나와, 있는 힘을 다해 자기만이 알고 있는 아버지 소유의 땅인 외딴 곳으로 달려갔읍니다. 그곳은 길동이 태권도와 칼쓰기와 활쏘기를 익히는 곳이었읍니다.

길동은 높이가 백 자는 되는 오래된 아름드리 떡갈나무를 노려보았읍니다. 그 나무는 양반들이 자신들을 생각하는 것처럼 거대한 나무였읍니다. 그 나무의 가장 낮은 가지들만 해도 길동의 키보다 다섯 자는 더 높이 있었읍니다. 길동은 두 손으로 칼을 잡고 앞으로 쭉 뻗친 다음 마치 고양이처럼 튀어올랐읍니다. 휘―휘―휘시익! 길동의 몸보다 더 굵은 나뭇가지 세 개가 땅바닥에 툭 떨어졌읍니다. 그리고 길동은 마치 낙엽처럼 사뿐히 땅에 내려섰읍니다.

길동은 떨어진 나뭇가지들을 바라보았읍니다. "종으로 살아야 한다고? 헛된 짓이지!"

Then he thought of Master Wolsong, the mountain hermit. They said he knew everything there was to know. He had made his mind so powerful he could do things that looked like magic to ordinary people.

"I'll find Wolsong. I'll beg him to teach me more. Then the King will have to let me serve him, whether I'm a noble or not."

*   *   *

The rain dripped from the wide brim of Kildong's hat onto the slippery mountain trail. It reminded him of his mother's tears when he said goodbye five days ago....

"Hold it! Move one more step and it'll be your last!"

Kildong looked up from his thoughts and found himself surrounded by ten mean-looking bandits. They were just itching to use their swords. "What's a kid like you doing out on the road alone? Anyway, come on, hand over all you've got, and you can move on without any trouble."

"Good afternoon, gentlemen. Sure, I'll give you all I've got. Who wants it first?"

　길동은 산속에 은거하고 있는 월성 도사를 생각했읍니다. 월성 도사는 모르는 것이라곤 없다고들 했읍니다. 월성 도사는 자신의 정신력을 너무도 강하게 만들었기 때문에 보통 사람들에게는 마술처럼 보이는 일들도 할 수 있다고들 했읍니다.

　"월성 도사님을 찾아보리라. 도사님께 더 가르쳐 달라고 청해야지. 그러면 임금님께서 내가 양반이건 아니건간에 일을 맡기실거야."

＊　　　　　＊　　　　　＊

　빗방울이 길동의 넓은 모자챙에서 굴러 미끄러운 산길에 떨어졌읍니다. 빗방울은 닷새 전 길동이 작별인사를 할 때 흘리시던 어머니의 눈물을 생각나게 했읍니다.

　"꼼짝마라! 한 발자국만 움직이면 끝장인 줄 알아라!"

　길동이 언뜻 정신을 차리고 보니 허름한 차림을 한 도둑 열 명이 자신을 둘러싸고 있었읍니다. 도둑들은 마침 칼을 휘두르고 싶어서 근질근질하던 참이었읍니다. "너같이 조그만 놈이 혼자 산길에서 무얼 하는거냐? 어쨌든 이리 와서 가진 걸 모두 내놓거라. 그러면 별 탈 없이 갈 수 있을게야."

　"안녕들 하시오, 아저씨들. 물론이죠, 내게 있는 걸 모두 드리죠. 어느 분이 먼저 가지시겠소?"

The man who did the talking grumbled, "Kids these days, no respect!" and stomped toward Kildong. He reached for Kildong's neck—and everything went black!

When the bandit came to, there were his nine friends stacked neatly in a groaning and moaning pile of bruises and broken bones.

"Excuse me. Would you kindly tell me where I can find Master Wolsong?" The young voice came from in back. The bandit turned to see the boy sitting on a rock, smiling a friendly smile.

The bandit got his sore body up slowly. He limped over to Kildong. "What could Master Wolsong ever teach *you*? Or are you going to teach him?"

"I can't do what I want to do just by knowing how to fight."

"What is it you want to do then?"

"That's another thing I want to learn from the Master."

　조금 전에 말을 꺼냈던 사나이가 중얼거렸읍니다. "요즘 애들은 버릇이 없군!" 사나이가 뚜벅뚜벅 길동에게로 다가섰읍니다. 사나이가 길동의 목을 잡으려는 순간 갑자기 눈앞이 캄캄해졌읍니다!

　도둑이 정신을 차리고 보니 자신의 동료 아홉 명이 이곳 저곳 상처를 입고 뼈가 부러진 채 끙끙 신음들을 하며 가지런히 널려 있는 것이었읍니다.

　"미안하외다. 월성 도사님을 뵈려면 어디로 가야 하는지 좀 가르쳐 주실 수 있겠소?" 앳된 목소리가 등 뒤쪽에서 들려왔읍니다. 도둑이 몸을 돌려 바라보니 소년이 바위 위에 걸터앉아 다정스런 미소를 머금고 있었읍니다.

　도둑은 쑤시는 몸을 천천히 일으켰읍니다. 그는 절룩거리며 길동에게로 다가갔읍니다. "월성 도사가 당신에게 무엇을 가르칠 게 있겠소? 당신이 혹시 월성 도사를 가르치려는 거 아니오?"

　"싸우는 법만 알아 가지고는 내가 하고자 하는 일을 할 수가 없소."

　"그러면 당신이 하려는 것은 뭐요?"

　"내가 그 도사님께 배우고자 하는 것이 그것이오."

They talked about many things as the pile of bruised and broken bodies slowly unpiled itself. Kildong found out that these men were all peasants forced off their land when the nobles grabbed it for themselves. The only way they could keep their families alive was to rob the people passing through the mountains. It wasn't only this small band, it was happening all over the country. The greedy nobles were turning the honest peasants into outlaws.

Kildong had thought he was the only one with problems. Now he knew that the nobles were making all the commoners miserable.

"Before you go off to Master Wolsong, why not stay with us a while?" the bandit captain offered.

So Kildong stayed with the bandits for a few days in their deep mountain hide-out. The young boy Kildong and the tough bandit leader Kang became close friends.

"But you know, Captain Kang," Kildong finally said, "instead of just griping about the nobles, why don't we do something about them?"

"Sure would be a lot less dangerous than robbing little kids, wouldn't it?" Kang winked.

So the two agreed that Kildong would come back after he studied under Master Wolsong, and they would show the nobles what commoners could do.

The next day, Kildong went off into the deepest mountains to find Wolsong.

*   *   *

Five long years later Kildong appeared in Captain Kang's camp. He was a strong young man with a happy light in his eye.

"The master told me he wouldn't teach me any more till I paid for all the food I ate off him!" Kildong chuckled.

The whole valley rang with Kang's happy laugh. "The old buzzard! What did a few dried roots ever cost him—and you probably had to do all the picking anyway!"

That night, Kildong and the men were sitting around the camp fire.

"You know, Master Wolsong never really tried to teach me a thing," Kildong told them. "He just let me tag along and keep my eyes open.

"One day I was following him along a mountain trail. He had that wicked sword of his with him. Well, out of nowhere came this awful

길동과 도둑이 많은 이야기를 나누고 있는 사이, 이곳 저곳이 터지고 부러진 다른 도둑들이 천천히 꾸물거리기 시작했읍니다. 길동은 이 사람들이 양반에게 땅을 빼앗기고 자신들의 땅을 떠날 수밖에 없었던 농부들이라는 사실을 알게 되었읍니다. 이 사람들이 가족을 먹여 살릴 단 한 가지 방법은 산속을 지나는 행인들의 물건을 빼앗는 것이었읍니다. 이러한 일은 이들뿐만 아니라 나라 전체에서 벌어지고 있는 일이었읍니다. 욕심 많은 양반들이 정직한 농부들을 불한당으로 만들고 있는 것이었읍니다.

길동은 자기 자신만 어려운 일이 있는 것으로 생각했었읍니다. 그런데 이제 길동은 양반들이 모든 평민들을 불행하게 만들고 있음을 알게 되었읍니다.

"월성 도사님께로 떠나기 전에 우리와 함께 얼마간 머무는 게 좋지 않겠소?"도둑의 우두머리가 청했읍니다.

그래서 길동은 며칠 동안 깊은 산속에 있는 도둑들의 본거지에서 머무르게 되었읍니다. 어린 소년 길동과 도둑의 우두머리 강은 가까운 친구 사이가 되었읍니다.

"그런데, 강두목, 양반들 탓만 하고 앉아있을 게 아니라 우리가 직접 양반들을 혼내주는 게 어떻겠소?"마침내 길동이 말했읍니다.

"자네같은 어린애들의 짐을 터는 것보다는 그게 훨씬 덜 위험하겠군, 안 그래?"강두목이 눈을 찡끗하며 대꾸했읍니다.

그래서 두 사람은 뜻을 모았읍니다. 길동이 월성 도사 밑에 가서 공부를 마친 뒤 다시 돌아와서 양반들에게 상놈들이 어떤 일을 할 수 있는 지 보여주자고 말입니다.

그 다음날 길동은 월성 도사를 찾아 깊고 깊은 산속으로 길을 떠났읍니다.

*   *   *

5년 후 길동은 강두목의 산채에 다시 나타났읍니다. 길동은 눈에 총기가 도는 건장한 젊은이로 성장했읍니다.

"내가 먹어치운 밥값을 모두 내지 않으면 더이상 가르쳐 줄 수 없다고 도사님께서 말씀하시더군!"길동이 킬킬 웃으며 말했읍니다.

강두목의 통쾌한 웃음으로 산골짜기가 찌렁찌렁 울렸읍니다."얼간이 같은 늙은이! 마른 나무뿌리 몇 개가 무슨 값이 나간다고… 어쨌든 자네는 내내 나무뿌리를 주우러 다녔었겠군!"

그날 밤 길동과 사나이들은 모닥불 주위에 둘러앉았읍니다.

"월성 도사님은 나에게 한 가지라도 가르쳐 주려고 한 적은 없었소. 다만 도사님 뒤를 쫓아다니며 정신 차리고 보는 것이었소."길동이 이야기를 시작했읍니다.

"어느 날 나는 도사님의 뒤를 따라 산길을 가고 있었소. 도사님은 마력을 지닌 칼을 가지고 계셨소. 그런데 어디선지 무시무시한 짐승의 울부짖음 소리가 들렸소. 내가

scream, and I looked up and saw a tiger jumping at Wolsong from a high rock. The master was so fast with his sword he could have sent that tiger's head rolling in a flash. Instead, he just stopped dead in his tracks. As the tiger went flying by, the master kicked up at the tiger's hind legs. So its hind end went up too high, and old tiger landed smack on his face in a puddle in the trail. Wolsong hopped over him—like that tiger was a log or something—and just kept on walking.

"The tiger took a couple seconds to come back to his senses. He shook his head, then glared at Wolsong. Believe me, that tiger was angry. It got up, then took a long, mighty leap at the master's back. At the same time the master took a sharp turn to the right, where the trail turned. But the tiger just kept flying straight on, head first into the cliff at the turn in the trail."

The men all cheered Master Wolsong.

14

홀낏 쳐다보니 호랑이 한 마리가 드높은 바위 위에서 도사님을 향해 풀쩍 뛰어내리는 게 아니겠소. 도사님의 칼솜씨는 번개 같아서 단칼에 호랑이의 머리를 베어버릴 수도 있었지만, 도사님은 그 대신 걸음을 멈추고 숨을 죽이고 서계셨소. 호랑이가 도사님 곁을 휙 날아 지날 때 도사님은 호랑이의 뒷다리를 걷어차시는 게 아니겠소. 그러자 그 놈의 엉덩이가 어찌 높이 들렸던지, 호랑이는 길에 있던 웅덩이에 얼굴을 처박고 말았소. 월성 도사님은 호랑이가 나무토막이나 되는 듯 사뿐히 뛰어넘어 가던 길을 계속 가는 것이었소.”

“호랑이는 곧 제정신을 차렸소. 머리를 흔들더니 월성 도사님을 노려보는 게 아니겠소. 호랑이는 틀림없이 성이 바짝 나 있었소. 벌떡 일어났는가 싶더니 도사님의 등을 향해 세차게 펄쩍 뛰어 달려들었소. 바로 그때 도사님은 길이 꾸부러지는 곳에서 오른 쪽으로 몸을 재빨리 틀었소. 호랑이는 미처 몸을 틀지 못하고 바로 길 옆에 있는 절벽으로 곧바로 날아 떨어져버렸다오.”

도둑들은 모두 월성 도사에게 박수갈채를 보냈읍니다.

"Hold on! The master wasn't finished yet. After the tiger scraped himself off the cliff, he decided to try once more. But he would be more careful this time. He trotted up till he was right in back of Wolsong. He snarled, and faked a jump. Wolsong played along and took a short hop to the left. The tiger knew that next time the master would jump to the right. So he snarled again, and then right away made a real jump to the right. But the master just kept walking on, straight ahead. The tiger went over the edge of the cliff at the side of the trail—you could hear him howling all the way down to the bottom of the valley."

Kang and the other men roared with delight. "Too bad nobles aren't that easy to take care of," Kang said.

"But they are! They're always hungry, just like the tiger, and a hungry person makes mistakes. All we have to do is help him make his mistakes."

The next day they got down to business.

First, they agreed on their task. They would put the nobles in their place. There were two ways to do this. The band would rob the rich nobles and give the loot back to the poor—wasn't it theirs in the first place? And they would force the King to make Kildong

"잠깐! 도사님이 그걸로 끝낸 게 아니오. 호랑이는 절벽에서 기어오르자 한번더 달겨들어야겠다고 마음을 먹은거요. 하지만 이번엔 몹시 조심스레 해야 했거든. 호랑이는 도사님 바로 등뒤에까지는 살금살금 다가갔소. 그리고는 '어흥' 하고 을러대더니 달겨들 것처럼 속임수를 썼소. 도사님은 이에 맞춰 왼쪽으로 사뿐 뛰었소. 그러자 호랑이는 이번엔 도사님이 오른쪽으로 펄쩍 뛰리라고 짐작했소. 그래서 호랑이는 한바탕 더 을러댄 뒤 곧바로 오른쪽으로 와락 달겨들었던 거요. 그러나 도사님은 곧바른 방향으로 걷고 있었소. 호랑이는 길 바로 곁의 절벽 아래로 날아 떨어질 수밖에 없었소. 골짜기 저 밑바닥으로 떨어지며 지르는 호랑이의 비명이 들리지 않겠소."

강두목과 도둑들은 신명이 나서 함성을 내질렀읍니다. "악질 양반들은 호랑이보다 더욱 다루기가 힘들지." 강두목이 한마디 했읍니다.

"아니, 그렇지 않아! 양반들은 언제나 주려 있어. 마치 호랑이처럼. 그리고 주린 사람은 잘못을 저지른다구. 우리가 해야 될 일은 양반이 잘못을 저지르게끔 도와주는 일이지."

다음날 사나이들은 일에 착수했읍니다.

먼저, 그들은 할 일에 대해 뜻을 모았읍니다. 사나이들은 양반들의 콧대를 꺾으려는 것이었읍니다. 이 일을 하는 데는 두 가지 방법이 있었읍니다. 사나이들은 잘사는 양반들에게서 재물을 털어 가난한 사람들에게 돌려줄 생각이었읍니다. 그 재물들은 본래 가난한 백성들의 것이 아니었읍니까? 그리고 사나이들은 임금님으로 하여금 길동을 장

a general. Once a commoner like Kildong got a noble's position, other commoners would be able to. With commoners in the government, the nobles would not be able to hurt them.

Then they gave their group a name. They called it "The People's Fight."

Kildong started training the men. It took several months, but he made them smart and tough.

When they were finally a band of fighters, and not just a gang of bandits, Kildong called them together.

"Friends, it's time for us to get to work. The magistrate of Hamkyong Province is having his birthday in a couple weeks, and we're going to his birthday party. Won't that be a nice surprise? But instead of giving him a present, we're going to take a few. Now, any noble that wants to keep his job as an official in that province will be bringing a nice present. You know who paid for those nice presents, don't you?"

"The people!" his men roared.

"Right, and we're giving it all back to them!"

*   *   *

The next day the men set off for Hamkyong Province, many miles to the north. They went in two's and three's, as merchants and

군으로 삼도록 할 생각이었읍니다. 길동 같은 상놈이 양반의 자리에 앉게 되면 다른 상놈들도 가능할 것이겠기 때문입니다. 조정에 상놈들이 들어가 있으면 양반이 상놈을 해치지는 못할 것입니다.

그리고 사나이들은 자신들의 모임에 이름을 붙였읍니다. '활빈당'이라고 불렀읍니다.

길동은 사나이들을 훈련시키기 시작했읍니다. 몇 달이 걸렸지만 길동은 그들을 날쌔고 굳세게 훈련시켰읍니다.

사나이들이 단지 도둑의 무리가 아닌 무사들이 되었을 때 길동은 그들을 불러 모았읍니다.

"동지 여러분, 이제 우리가 일을 시작할 때가 왔소. 보름쯤 지나면 함경도 관찰사가 자기 생일 잔치를 벌일 터인데 우리가 그 생일 잔치에 가는 거요. 꽤나 놀라겠지? 그러나 우리는 관찰사에게 선물을 주는 대신 좀 빼앗아 오는거요. 함경도에서 관직을 가지고 있는 양반들은 자리를 지키기 위해 근사한 선물들을 가지고 올거요. 그 근사한 선물들이 누구로부터 나온 것인가는 여러분이 잘 알게요."

"백성들로부텁니다!" 사나이들이 외쳤읍니다.

"맞소, 이제 우리가 그것들을 모두 백성들에게 돌려주는거요!"

*　　　　*　　　　*

다음날 사나이들은 함경도를 향해 북쪽으로 먼길을 떠났읍니다. 그들은 두 명 또는 세 명씩 짝을 지어 장사꾼이나 도부장수, 아니면 농부처럼 꾸미고 길을 갔읍니다. 이틀

peddlers and farmers. Two days later, they all met deep in a moun-
tain near the magistrate's town, and got ready to go to the magis-
trate's birthday party.

Kildong dressed as a nobleman. A craftsman in his band made the
badge of the King's Secret Inspector for him to use at the party.
Next to the King, the Secret Inspector was one of the most powerful
men in the country. His job was to travel around, in ordinary
noble's clothes, checking on government officials. If he found a
really bad one he would show his badge and then punish the offi-
cial.

Kildong's men all dressed in the uniform of the Secret Inspector's
soldiers. They also spread a rumor through town that the Secret
Inspector was in the area.

Kildong's father was a nobleman, so Kildong looked like one, and
he knew how to play the part. The gate guard let him right into
the party. It was already going strong. He sat down and watched
the officials getting drunk and eating piles of good food that a com-
moner could never eat once in a whole lifetime. He saw the nobles
giving the magistrate expensive presents and flattering him.

Then one of the magistrate's assistants came and whispered in the
magistrate's ear. But he could have told the magistrate his house

후 사나이들은 관찰사가 있는 고을 근처의 깊은 산속에서 만나 관찰사의 생일 잔치에
갈 준비를 모두 마쳤읍니다.

길동은 양반 차림을 했읍니다. 부하들 중 솜씨있는 한 사람이 생일 잔치 자리에서
길동이 내보일 암행어사 마패를 만들었읍니다. 암행어사는 나라안에서 임금님에 버금
가는 힘을 가지고 있는 사람중의 한 사람이었읍니다. 암행어사란 평범한 양반의 옷차림
을 하고 나라의 구석구석을 돌아다니며 관리들이 하는 일을 감시하는 사람이었읍니다.
아주 나쁜 관리를 발견하면 암행어사는 마패를 보여주고 그 관리를 처벌하곤 했읍니다.

길동의 부하들은 모두 암행어사의 병졸 복장으로 갈아입었읍니다. 부하들은 암행어
사가 이 지방에 와 있다는 소문을 고을 곳곳에 퍼뜨렸읍니다.

길동의 아버지는 양반이었으므로 길동의 외모도 그럴듯했읍니다. 그리고 길동은 양
반이 어떻게 행동하는지 잘 알고 있었읍니다. 문지기는 길동을 잔치가 벌어지고 있는
곳으로 들여보냈읍니다. 자리는 이미 거나하게 흥청거리고 있었읍니다. 길동은 자리를
잡고 앉아 관리들이 상놈은 평생 한 번도 먹어볼 수 없는 그득하게 담긴 맛있는 음식
을 먹으면서 술을 마시는 광경을 보았읍니다. 길동은 또 양반들이 관찰사에게 값나가
는 선물을 주는 모습이며 아첨하는 꼴을 지켜보았읍니다.

그때 관찰사의 아전 한 명이 관찰사에게 다가가서 귀엣말을 했읍니다. 하지만 그 아
전이 관찰사에게 집이 불타고 있다고 이야기했더라도 관찰사는 신나는 이 잔치를 멈추
게 하고 싶지는 않았을 것입니다.

"암행어사라고? 웃기는 소리 말아!" 관찰사는 술에 너무 취해 있어서 자기의 생일
잔치를 망치게 될 그 어떤 일에도 신경을 쓸 정신이 없었읍니다. "포졸들을 모두 풀어

was burning down—this man didn't want his fun to stop.

"Secret Inspector? Nonsense!" The magistrate was too drunk to worry about anything that would ruin his birthday party. "Send all my soldiers out—search the whole countryside. Hiccup! I don't care how far you have to go, or how long it takes you—bring in the troublemaker spreading that rumor. Try to spoil my party, will he? Hic! GO!"

The soldiers left. Now it was time for the next step in Kildong's plan. A group of about fifty armed men marched in through the gate and came right up to the magistrate's party.

"And who invited you grubby looking bums? Out! OUT!" The drunken magistrate shouted.

Kildong stood up. "I invited them. They are my men, and I am the King's Secret Inspector." Kildong showed his badge.

서 고을을 샅샅이 뒤져라. 딸꾹! 어디까지 가든지, 시간이 얼마나 걸리든지 좋으니 그 소문을 퍼뜨리는 고약한 놈을 잡아들여라. 내 생일 잔치를 망치려 들다니? 딸꾹! 가서 찾아 봐!"

포졸들이 떠났습니다. 이제 길동의 다음 단계 계획이 실행에 옮겨질 때가 되었습니다. 창과 칼을 든 50여명의 사나이들이 문을 들어서더니 곧바로 생일 잔치가 벌어지고 있는 곳으로 들이닥쳤습니다.

"지저분한 건달 같은 네놈들을 누가 이곳에 오라 했느냐? 나가거라! 나가!" 술취한 관찰사가 고함을 질렀습니다.

길동이 자리에서 일어섰습니다. "내가 저들을 오라 했소. 저들은 나의 군사요, 나는 임금님이 보내신 암행어사요." 길동이 마패를 꺼내 보였습니다.

The magistrate squinted his drunken eyes to see the badge. He couldn't see it, but the show Kildong put on was enough. The magistrate scrambled to his knees and bowed his head to the floor over and over. "Oh, such happiness! Such an honor! Hiccup! If you had only told us you were coming, great and noble Inspector!"

"Sorry, Magistrate, your party's over."

Kildong told half of his men to take the magistrate and all his friends to the prison. "Take all their clothes. Gag them and tie them up together!" He told the other half of his men to go through the whole mansion, into all the warehouses, and collect all the food and presents and money they could find.

When the magistrate's soldiers finally came back, the party hall was deserted. Eventually they found the magistrate and the other grand nobles squealing and squirming in the jail, like a bunch of piggies ready for market.

And they found a message tacked to the jail door.

To the Magistrate of Hamkyong Province:
We are taking back what you have taken from the people. Be warned that your punishment will be ten times worse if you lay your hands on the people again.
Hong Kildong
The People's Fight

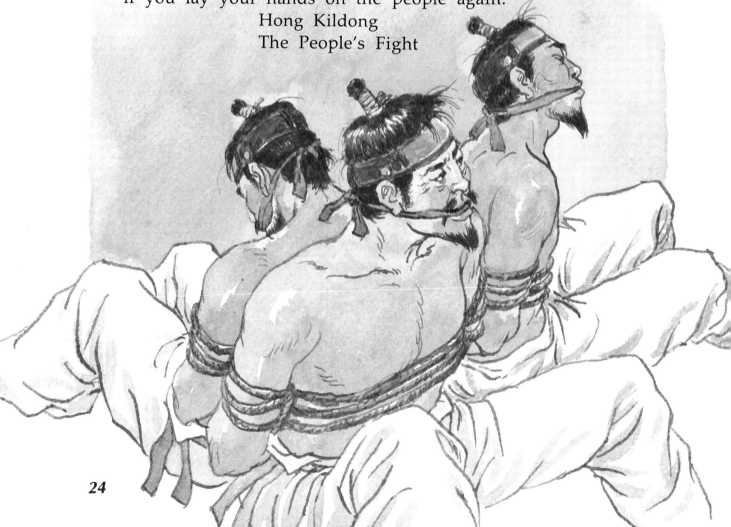

관찰사가 술취한 눈으로 마패를 흘낏 보았읍니다. 관찰사의 눈에는 마패가 잘 보이지 않았으나 길동이 보여준 행동거지로 충분했읍니다. 관찰사는 벌벌 기어오더니 수없이 땅바닥에 머리를 조아렸읍니다. "아니, 이런 기쁠 데가 있사옵니까! 이런 영광이! 딸꾹! 오신다는 말씀만 미리 하셨더라도, 지엄하신 암행어사 나으리!"

"미안한 일이네만 관찰사, 당신의 잔치는 끝났소."

길동은 절반 가량의 부하들에게 명하여 관찰사와 그 무리들을 옥에 가두게 했읍니다. "저들의 옷을 모두 벗겨라. 입에 재갈을 물리고 함께 꽁꽁 묶어라!" 길동은 나머지 부하들에게는 관찰사의 집과 곳간을 모두 뒤져 음식과 선물과 돈을 닥치는 대로 모두 긁어 모으라고 명령했읍니다.

관찰사의 포졸들이 마침내 돌아와보니 잔치를 벌이던 자리는 엉망진창이 되어 있었읍니다. 뿐만 아니라 관찰사와 점잖은 양반들은 장에 팔려 나갈 돼지새끼들처럼 옥 속에 갇혀 낑낑거리며 꿈틀꿈틀하고 있었읍니다.

그리고 포졸들은 옥문에 붙어 있는 방을 한 장 보았읍니다.

함경도 관찰사에게:

우리는 네가 백성들로부터 긁어모은 것들을 도로 가져간다.

네가 만약 백성들에게 또 다시 못된 짓을 한다면

너에게 내려질 벌은 10배나 더 가혹할 것이다.

홍 길동, 활빈당

The next morning, in a village several miles away from the magistrate's, a farmer's wife found a big bag of food and nice presents at her door. And so did every other family in the village.

During the next year The People's Fight swept from one end of the country to the other. Every time the Fight struck, they beat the nobleman with their heads, not with their swords. And every time they struck, Kildong made it known that these were common people who were making the nobles look like fools.

Kildong became the hero of the commoners. The nobles were as scared as the people were happy, and they begged the King to help them. So the King sent his top general and many troops to bring Kildong in. A month later, the general and three of his highest officers were delivered back to the King tied and gagged, inside of four smelly bearskin bags. There was a message.

Your Majesty,

I am a commoner. I have defeated your highest general.
He is a nobleman. Don't you think it's time to let this
commoner serve you in your government?
Your loyal servant,
Hong Kildong
The People's Fight

Now the King was mad. "So a commoner is going to tell the King what to do, is he?"

He sent for Inhyong. "Get that brother of yours back here, or your whole family will pay for the trouble he's causing!"

*   *   *

Kildong read Inhyong's letter. "So this is how the King fights! Fine! If I turn myself in, my brother has done what the King told him to do. If I leave again, it's not Inhyong's problem anymore.... Captain Kang, take care of things here for a couple weeks, will you?"

Five days later Kildong was in front of the King. He bowed a deep bow.

The King glared at Kildong. "I know that if I hang you the people will make a big fuss. I don't want that. But if you cause any more trouble, I will destroy your family."

"My family, Your Majesty?" Kildong asked, innocently.

"Yes, your father and your elder brother, and all of them."

"I beg your pardon, Your Majesty. I am confused. Is he my father?

다음날 아침 관찰사가 있는 고을에서 몇 리 떨어진 마을에 사는, 어느 농부의 아내는 자기집 문앞에 음식과 값진 물건이 가득 든 커다란 보따리가 놓여 있는 것을 보았읍니다. 그 마을에 있는 다른 모든 집들도 마찬가지였읍니다.

이듬해 내내 활빈당은 전국 각지를 휩쓸고 다녔읍니다. 활빈당은 공격을 할 때마다 양반들을 칼로써가 아니라 머리로써 꼼짝 못하게 했읍니다. 그리고 언제나 길동은 양반들을 바보같이 보이게 하는 사람들이 다름아닌 상놈들이라는 사실을 밝혔읍니다.

길동은 상놈들의 영웅이 되었읍니다. 백성들이 기뻐하는 만큼 양반들은 안절부절 못했으며 양반들은 임금님에게 도움을 청했읍니다. 그리하여 임금님은 장군 한 사람에게 많은 군사를 딸려 보내어 길동을 잡아들이도록 명령을 내렸읍니다. 한 달 뒤 장군과 그의 제일 높은 부하 세 명이 몸이 꽁꽁 묶이고 입에는 재갈이 물린 채 냄새나는 곰가죽 자루에 각각 담겨져 임금님께로 보내졌읍니다. 자루에는 편지가 붙어 있었읍니다.

> 상감마마,
> 저는 상놈입니다. 저는 상감마마의 장군을 물리쳤읍니다.
> 장군은 양반입니다. 상감마마께서는 저 같은 상놈도 조정
> 에서 일할 때가 되었다고 생각지 않으십니까?
> 마마의 충성스런 종,
> 홍 길동, 활빈당

임금님은 격노했읍니다. "일개 상놈이 상감에게 이래라 저래라 한단 말인가?"

임금님은 인형을 보냈읍니다. "너의 동생을 잡아오너라. 그렇지 않으면 너의 집안은 그가 저지른 죄에 대한 죄값을 치르게 되리라!"

*　　　　　*　　　　　*

길동은 인형의 편지를 받아보았읍니다. "임금님이 싸우는 방법이란 이런 것이로군… 좋다! 내가 내 발로 걸어 들어가면 형은 임금님이 시킨 일을 해낸 것이 된다. 그리고 내가 떠나버리게 되면 그때는 더 이상 형의 책임이 아닌거지… 강두목, 이곳 일을 보름 동안 맡아주게."

닷새 후 길동은 임금님 앞에 왔읍니다. 길동은 큰절을 올렸읍니다.

임금님이 길동을 뚫어져라 쳐다보았읍니다. "내가 너의 목을 매단다면 백성들이 커다란 소동을 벌일 줄 나는 안다. 나는 그것을 원치 않아. 하지만 네가 더 이상 말썽을 부린다면 너의 가족을 없애버리겠다."

"저의 가족이요, 상감마마?" 길동이 천연덕스럽게 물어보았읍니다.

"그래, 네 아버지와 형을 포함해서 너의 가족 모두 말이다."

"무슨 말씀이신지요, 상감마마. 혼돈이 됩니다. 그분이 저의 아버님이시라고요? 사람들은 모두 그분이 저의 아버지가 아니라고들 하옵니다. 하지만 그분이 저의 아버님이시라면 저도 역시 양반이어야 할 것입니다. 제가 양반입니까, 상감마마, 제가 양반이라면 이 나라의 상놈들 중 반은 양반일 것이옵니다."

They all tell me he isn't. But if he is, then I must be a nobleman. Am I a nobleman, Your Majesty? If I am, half the commoners in this country are noblemen."

Kildong waited for an answer, but what could the King say?

So Kildong smiled his friendly smile and said, "When you have something to say about that, Your Majesty, let me know. For now, farewell."

Kildong made a deep bow to the King, then turned and walked out.

*   *   *

After Kildong's visit, the King became very worried. Kildong was just too smart. And now The People's Fight was not just a small band of mountain outlaws anymore. It was growing into an army.

The King called his advisors. "If we don't take care of this Hong Kildong, we are all going to be looking for other jobs soon."

One of his advisors made a suggestion. "Give him what he wants. Make him a general. Just don't give him anything to do."

Brilliant! So the King sent a proclamation throughout the country:

길동은 임금님의 대답을 기다렸읍니다. 그러나 임금님이 무슨 말을 할 수 있었겠읍니까?

그래서 길동은 미소를 지은 뒤 말했읍니다. "상감마마께서 이 문제에 대해 하실 말씀이 계시오면 제게 알려 주옵소서. 그럼, 안녕히 계십시오."

길동은 임금님에게 큰 절을 올리고는 뒤돌아서 나왔읍니다.

*　　　　　　*　　　　　　*

길동이 다녀간 후로 임금님의 걱정은 깊어갔읍니다. 길동은 조금도 빈틈이 없었읍니다. 그리고 이제 활빈당은 산적들의 조그마한 집단이 아니었읍니다. 하나의 군대로 커가고 있었읍니다.

임금님은 대신들을 불러모았읍니다. "만약 우리가 홍 길동을 다스리지 못한다면, 우리는 모두가 곧 이자리에서 쫓겨나게 될지도 모르겠소."

대신 중 한 사람이 의견을 말했읍니다. "그가 원하는 것을 그에게 주는 겁니다. 그를 장군에 봉하십시오. 단지 그에게 할 일을 주지 않으시면 됩니다."

기막히군! 그래서 임금님은 전국에 방을 써붙이게 했읍니다:

His Majesty the King appoints Hong Kildong General Officer of the Royal Guard. Hong will receive his appointment on the first day of the third month.

But when Kildong saw this he knew right away that the King was trying another trick. He was expecting this. In fact, the King was playing right into his hands.

The whole court was there to see Kildong's appointment. Kildong bowed to the King. The King handed Kildong his appointment. "Hong Kildong, son of Prime Minister Hong, I appoint you General of the Royal Guard. Serve your King with your life."

Kildong bowed again. "Your Majesty, my heart overflows with gratitude. By giving me this appointment, you are telling all your people that a good man, noble or commoner, can serve his Majesty." There was a stunned silence in the throne room. "We all know that the words of our great King are wise, and that is why his word is law...." He looked the King in the eye. "...unchangeable law."

The King blushed. He glared over at his advisor. The advisor

상감마마께서는 홍 길동을 병조판서에 임명하신다.
홍 길동은 3월 초하룻날 임명을 받을 것이다.

  그러나 길동은 이 방을 보고서 임금님이 또 다른 계략을 꾸미고 있다는 사실을 재빨리 알아차렸습니다. 길동은 그것을 바라고 있었습니다. 사실 임금님은 길동에게 말려들고 있었습니다.

  길동이 병조판서로 임명되는 광경을 보려고 조정의 모든 대신들이 모여들었습니다. 길동은 임금님께 절을 올렸습니다. 임금님이 길동에게 임명장을 건네주었습니다. "홍 대감의 아들 홍 길동, 그대를 병조판서에 임명하노라. 몸과 마음을 바쳐 임금을 보좌하라."

  길동이 다시 절을 올렸습니다. "상감마마, 저의 가슴은 상감마마의 은혜로 가득 찼사옵니다. 저를 병조판서에 임명하심으로써 상감마마께서는 백성들에게 양반이건 상놈이건 훌륭한 사람은 누구든지 상감마마를 모실 수 있음을 알리신 것이옵니다." 어전 안은 충격으로 쥐죽은 듯 조용했습니다. "저희들은 상감마마의 말씀이 현명하시며 그렇기 때문에 상감마마의 말씀이 곧 법이라는 사실을 잘 알고 있사옵니다." 길동은 임금님의 눈을 똑바로 올려다보았습니다. "변할 수 없는 법이라는 사실을…"

  임금님이 얼굴을 붉혔습니다. 임금님은 눈길을 돌려 대신을 쳐다보았습니다. 대신도 얼굴을 붉혔습니다. 이미 늦은 일이었지만 임금님은 깨달았습니다. "또 당했구나!" 임금님 자신이 이 나라의 백성들에게 양반이 할 수 있는 일은 상놈도 할 수 있다는 것을 이야기한 셈입니다.

blushed. Too late, the King realized. "He's got me again!" The King himself had just told everyone in his country that a commoner can do what a nobleman can do.

*   *   *

A few days later, after his terrific blush finally faded, the King realized that Hong had more brains than all of those noble advisors of his put together. So, he thought, instead of fighting Hong, why not use him? "Once Hong gets a taste of the good life, he won't want to have to share it with a lot of other commoners."

He sent for Kildong. "General Hong, it's time for us to cooperate with each other," the King said with a slick smile.

"Cooperate, Your Majesty? But I am your servant."

Now what's he got up his sleeve, the King wondered. "All right, General, what is it? Name it, and you've got it." The King was ready to give Kildong whatever position or money or land or nice big house he wanted.

"Our band has done what we set out to do. Your Majesty has told the whole country that the commoner is as good as the nobleman. Of course, you still don't believe it. You will go back on your word. But the important thing is, you've started something. And you can't stop it now. It'll take a long time, but one day it will happen. One day the commoners will share power with the nobles...."

며칠이 지난 뒤 붉어졌던 얼굴이 가까스로 가라앉고 나자, 임금님은 홍 길동이 자기 주위의 대신들 머리를 다 합친 것보다도 뛰어난 머리를 가지고 있음을 알았습니다. 그래서 임금님은 홍 길동과 맞서 싸우느니 홍 길동을 자기 사람으로 쓰는 것이 어떨까 하고 생각했습니다. "홍 길동이 안락한 생활의 맛을 보고 나면 그걸 다른 수많은 상놈들과 나누어 가지려는 생각이 없어지겠지."

임금님은 길동을 불러오게 했습니다. "홍 장군, 우리가 서로 힘을 합칠 때 아닌가." 임금님은 묘한 웃음을 띠며 말했습니다.

"힘을 합치다니요, 상감마마? 저는 상감마마의 신하이옵니다."

이제 그가 무슨 꾀를 쓸 것인가 하고 임금님은 생각했습니다. "좋아, 장군, 뭔가? 말만 하면 무엇이든 다 주겠네," 임금님은 길동이 어떤 지위, 돈, 땅, 큰 집을 원하든 길동에게 주려고 마음먹고 있었습니다.

"저희 활빈당은 하고자 했던 일을 해냈습니다. 상감마마께서는 상놈도 양반에 못지 않다는 것을 온 백성에게 말씀하셨습니다. 물론 상감마마께서는 아직 그것을 믿지 않고 계십니다. 마마께서는 그 말씀을 거두려 하실 것입니다. 하지만 중요한 것은 마마께서 무언가를 시작하셨다는 점입니다. 그리고 마마께서는 이제 그것을 멈추게 하실 수는 없습니다. 오랜 시간이 걸릴 테지만 언젠가는 일어날 일입니다. 언젠가는 상놈이 양반과 권력을 나누어 가지게 될 것입니다…"

임금님은 속으로 중얼거렸습니다. "내가 죽은 뒤에나 해보라지!"

"그래서 상감마마의 허락하에 저와 저의 부하들은 아무도 살지 않는 다른 땅으로 떠나고자 합니다. 저희들은 그곳에서 양반과 상놈으로 갈리지 않고 백성은 오직 백성

The King grumbled inside, "Over my dead body they will!"

"So, with your leave, my men and I will be off to another land, where no one lives. We are going to get started right away, on making a country where people are people, not where they are nobles and commoners." Kildong's men were already building the ships which would take them to a big island, many days away.

"Going? You're really going?" The King tried to hide his delight. "How we will all miss you!"

"I am touched," Kildong bowed. "But, Your Majesty," he looked up at the King again, mischief in his eye, "the commoners staying here are every bit as devoted to you as I am. They will help you keep your promise to them."

The King's smile froze.

Kildong left the King and went back to his mountain camp. A few days later he and all his men and all their families were on their ships, headed for their new land.

No one ever heard from them again. But we can hope that they ended up as happy as the people who left their homeland on the Mayflower, two hundred years later.

34

일뿐인 나라를 곧바로 건설할 계획입니다." 길동의 부하들은 며칠 걸려야 닿을 수 있는 커다란 섬으로 가기 위해 이미 배를 만들고 있었습니다.

"간다고? 장군이 정말 떠난다고?" 임금님은 기쁨을 감추려 애를 썼습니다. "우리들은 장군을 그리워하게 될거야!"

"망극하옵니다," 길동은 절을 했습니다. 이어서 길동은 장난끼 어린 눈빛으로 임금님을 다시 올려다보며 말했습니다. "하지만 상감마마, 이 나라에 남는 상놈들도 저와 마찬가지로 마마께 충성스러운 사람들이옵니다. 그들이 마마께서 그들에게 하신 약속을 지키시게끔 도와드릴 것이옵니다."

임금님의 얼굴에서 웃음기가 가셨습니다.

길동은 임금님과의 이야기를 끝내고 부하들이 있는 산채로 돌아왔습니다. 며칠 뒤 길동과 그의 부하들, 그리고 그들의 가족들은 여러 척의 배에 올라 새로운 땅을 향해 떠났습니다.

아무도 그들의 소식을 다시 들은 이는 없습니다. 그러나 우리는 그들이 그로부터 2백 년 후 메이플라워호를 타고 조국을 떠나 신대륙을 개척한 사람들처럼 행복한 삶을 살았을 것이라고 기대할 수는 있습니다.

A Word to Parents:

Along with *Fragrance of Spring* and *Two Kins' Pumpkins* (also written in the seventeenth century), this story is part of Korea's most widely read folk literature. These stories all represent a big change in Korean literature. Before this, literature was mainly poetry, written by and for the noble class, in Chinese language and characters. *The People's Fight* was one of the country's first novels, written for the whole population (even though it was written by a noble), in the Korean language and script. Literature was now being written with the people in mind. (This was not due to Western influence.)

This literature did not get off to a very happy start, though. The author was of the noble class. But his tutor was born illegitimately, of a relationship between a noble and his servant, and he could not advance in society any more than he had already. The plight of the tutor awakened the student to the discrimination so strong and pervasive in this feudal society. The student grew up to become a government official of substantial rank, and a writer of both social and philosophical tracts in addition to fiction. After he wrote *The People's Fight,* he participated in revolt against the throne, and was captured and executed.

The big examination which the author's tutor and Hong Kil-dong could not take was the higher civil service exam. This is the one which Mongyong *(Fragrance of Spring)* and Kongjui's husband-to-be took and became high officials. This examination was extablished mainly to restrict entry of the commoners into higher positions in government. These positions were theoretically open to everyone, but only the noble class had the wherewithal and privileged exemption from national corvée and military duty to train their children for this very difficult exam.

The candidates were tested mainly on classical literature and thought and in composition of poetry and prose.

By John Holstein

John Holstein

John Holstein was born in 1944 in Chicago. He went to Korea in the U.S. Army and remained there after discharge to study Korean literature in graduate school. In 1978 he returned to his country to earn a graduate degree in linguistics, and is now teaching English at Sungkyunkwan University in Seoul. He has been translating Korean literary works since he began studying the country's literature, and has received awards three times.

Korean Folk Tales Series